Au moment de l'**heure des histoires**, tandis que l'un regarde les images et l'autre lit le texte, une relation s'enrichit, une personnalité se construit, naturellement, durablement.

Pourquoi ? Parce que la lecture partagée est une expérience irremplaçable, un vrai point de rencontre. Parce qu'elle développe chez nos enfants la capacité à être attentif, à écouter, à regarder, à s'exprimer. Elle élargit leur horizon et accroît leur chance de devenir de bons lecteurs.

Quand ? Tous les jours, le soir, avant de s'endormir, mais aussi à l'heure de la sieste, pendant les voyages, trajets, attentes... La lecture partagée permet de retrouver calme et bonne humeur.

Où ? Là où l'on se sent bien, confortablement installé, écrans éteints... Dans un espace affectif de confiance et en s'assurant, bien sûr, que l'enfant voit parfaitement les illustrations.

Comment ? Avec enthousiasme, sans réticence à lire « encore une fois » un livre favori, en suscitant l'attention de l'enfant par le respect du rythme, des temps forts, de l'intonation.

Pour toute l'école primaire
d'Auchterhouse
J.D.

Traduction de Jean-François Ménard

ISBN : 978-2-07-065313-3
Titre original : *The Gruffalo*
Publié pour la première fois en 1999
par Macmillan Children's Books, Londres
© Julia Donaldson 1999, pour le texte
© Axel Scheffler 1999, pour les illustrations
© Gallimard Jeunesse 2013, pour la traduction française
et la présente édition
Numéro d'édition : 342394
Loi n° 49-956 du 16 juillet 1949
sur les publications destinées à la jeunesse
Premier dépôt légal : octobre 2013
Dépôt légal : juillet 2018
Imprimé en France par IME by Estimprim
Maquette : Laure Massin

PEFC

10-31-1093

Certifié PEFC
pefc-france.org

Julia Donaldson • Axel Scheffler

Gruffalo

GALLIMARD JEUNESSE

Une souris se promenait dans un grand bois profond.
«Ah, se dit un renard, une souris c'est très bon.»
– Eh bien, petite souris, où vas-tu dans ce bois?
J'ai un joli terrier, viens manger avec moi.
– C'est terriblement gentil, mon bon renardeau,
Mais je dois déjeuner avec un gruffalo.

– Un gruffalo? Mais qu'est-ce que c'est?
– Un gruffalo? Tout le monde le sait.

Ses défenses
sont terribles,

Ses griffes
sont effrayantes,

Ses dents sont redoutables,
ses mâchoires terrifiantes.

Je dois le retrouver derrière ces rochers
Et le renard rôti est son plat préféré.

– Renard rôti ? dit le renard. Ah, non, merci !
Adieu, petite souris. Et très vite, il s'enfuit.

« Ah, le stupide renard ! Il ignore donc, le sot,
Qu'il n'existe pas de gruffalo ? »

La souris chemina dans le grand bois profond.
«Ah, se dit un hibou, une souris, c'est très bon.»
– Eh bien, petite souris, où vas-tu dans ce bois?
Sur mon arbre perché, viens manger avec moi.
– C'est diablement gentil, mon cher oiseau,
Mais je dois prendre le thé avec un gruffalo.

– Un gruffalo? Mais qu'est-ce que c'est?
– Un gruffalo? Tout le monde le sait.

Il a de la corne
aux genoux,

Des orteils
écartés

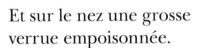

Et sur le nez une grosse
verrue empoisonnée.

Au bord de ce ruisseau, il devrait arriver
Et la glace au hibou est son plat préféré.

– Glace au hibou ? Adieu petite souris !
Et dans son arbre aussitôt il s'enfuit.

«Ah, le stupide hibou ! Il ignore donc, le sot,
Qu'il n'existe pas de gruffalo ? »

La souris chemina dans le grand bois profond.
«Ah, se dit un serpent, une souris, c'est très bon.»
– Eh bien, petite souris, où vas-tu dans ce bois?
J'habite sous ces bûches, viens manger avec moi.
– C'est merveilleusement gentil, petit serpenteau,
Mais je dois festoyer avec un gruffalo.

– Un gruffalo? Mais qu'est-ce que c'est?
– Un gruffalo? Tout le monde le sait.

Il a des yeux
orange,

Une langue
noire et râpeuse,

Des épines violettes
sur son échine rugueuse.

Je l'attends près du lac, il ne va pas tarder
Et la crème de serpent est son plat préféré.

– La crème de serpent? Il est temps de s'en aller!
Adieu petite souris. Et il va se cacher.

« Ah, le stupide serpent! Il ignore donc, le sot,
Qu'il n'existe pas de gruffal...

Oh !»

Mais quel est donc ce monstre aux griffes effrayantes,
Aux dents si redoutables, aux mâchoires terrifiantes ?
Il a de la corne aux genoux, des orteils écartés,
Et sur le nez une grosse verrue empoisonnée,
Il a des yeux orange, une langue noire et râpeuse,
Des épines violettes sur son échine rugueuse.

– Au secours ! Un gruffalo !

– Oh, mon plat préféré, grogna le gruffalo.
Ça va être très bon sur un petit pain chaud.

– Oh non, dit la souris, ce ne sera vraiment pas bon !
Car je suis redoutée dans ce grand bois profond.
Je t'invite à me suivre et tu verras très vite
Que lorsque je m'approche, tout le monde prend la fuite.

– Bien, dit le gruffalo en riant aux éclats.
Montre-moi le chemin, je reste derrière toi.

Ils marchèrent longtemps, puis le gruffalo dit :
– J'entends siffler, là-bas, entendrais-tu aussi ?

– C'est le serpent, dit la souris. Bonjour, serpent !
Voyant le gruffalo, le serpent devint blanc.
– Oh, ciel ! s'exclama-t-il, adieu, petite souris !
Et, sous sa pile de bois, aussitôt il s'enfuit.

– Tu vois, dit la souris, je ne t'ai pas menti.
– Étonnant, répondit le gruffalo, surpris.

Ils marchèrent encore puis le gruffalo dit :
– J'entends hululer, là-bas, tu entends aussi ?

– C'est le hibou, dit la souris. Coucou l'oiseau !
Le hibou sursauta devant le gruffalo.
– Holà, s'exclama-t-il, adieu, petite souris.
Et, en haut de son arbre, aussitôt il s'enfuit.

– Tu vois, dit la souris, je ne t'ai pas menti.
– Stupéfiant, répondit le gruffalo, surpris.

Ils marchèrent un peu plus et le gruffalo dit :
– J'entends des pas, là-bas, tu les entends aussi ?

– C'est le renard, dit la souris, renard, bonjour !
Voyant le gruffalo, il cria « Au secours !
Adieu petite souris, on m'attend quelque part. »
Et loin dans son terrier disparut le renard.

– Alors, Gruffalo, dit la souris, tu vois bien ?
C'était la vérité, tout le monde me craint !
Mais j'entends quelque chose ! Mon estomac gargouille
Et mon plat préféré, c'est le gruffalo aux nouilles !

– Le gruffalo aux nouilles ? cria le gruffalo,
Et, rapide comme l'éclair, il s'enfuit au galop.

La souris, bien tranquille dans le grand bois profond,
Ramassa une noisette et trouva ça très bon.

L'auteur

Julia Donaldson a grandi dans le nord de Londres au sein d'une grande famille où tout le monde aimait la lecture et fréquentait assidûment la bibliothèque et la librairie du quartier. Julia a ainsi commencé à écrire très jeune.

Après ses études à l'université de Bristol, elle poursuit une carrière d'auteur de chansons. Son association avec Axel Scheffler donne naissance à de nombreux succès tels que *Gruffalo*, devenu un grand classique.

Julia Donaldson vit à Glasgow où elle enseigne l'anglais. Elle écrit aussi pour la BBC, le théâtre et l'industrie du disque, et organise des ateliers de théâtre et de musique pour les enfants. Elle a occupé jusqu'en 2013 la fonction de « Children's Laureate », Ambassadrice du livre pour enfants.

L'illustrateur

Axel Scheffler est né en 1957 à Hambourg (Allemagne) où il a étudié l'histoire de l'art avant de se rendre en Angleterre, où il vit toujours ! Ses travaux ont retenu l'attention de bon nombre de publicitaires et d'éditeurs, et sont aujourd'hui devenus célèbres dans le monde entier.

Il est l'illustrateur de *Gruffalo*, grand succès, qui s'est vendu à des millions d'exemplaires. Aussi célèbre en Allemagne que dans les pays anglo-saxons, il vit à Londres, avec sa femme Clémentine, une Française, et leur fille Adélie.

Dans la même collection

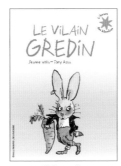

n° 1 *Le vilain gredin*
par Jeanne Willis
et Tony Ross

n° 3 *L'oiseau qui ne savait
pas chanter*
par Satoshi Kitamura

n° 4 *La première fois
que je suis née*
par Vincent Cuvellier
et Charles Dutertre

n° 18 *L'énorme crocodile*
par Roald Dahl
et Quentin Blake

n° 19 *La belle lisse poire
du prince de Motordu*
par Pef

n° 25 *Pierre Lapin*
par Beatrix Potter

n° 52 *Petit Gruffalo*
par Julia Donaldson
et Axel Scheffler

n° 63 *Je veux DEUX
anniversaires!*
par Tony Ross

n° 65 *Le bateau vert*
par Quentin Blake

n° 67 *La princesse Finemouche*
par Babette Cole

n° 70 *Le rêve de Max*
par Sylvia Plath
et R. S. Berner

n° 71 *Selma la drôle de vache*
par Barbara Nagelsmith
et Tony Ross

n° 72 *Louise Titi*
par Jean-Philippe Arrou-
Vignod et Soledad Bravi

n° 73 *Le sac à disparaître*
par Rosemary Wells

n° 74 *Aux fous les pompiers !*
par Pef

n° 76 *Zébulon le dragon*
par Julia Donaldson
et Axel Scheffler